Kimiko

COMPTINES ET CHANSONNETTES

loulou & Cie
l'école des loisirs
11, rue de Sèvres, Paris 6ᵉ

Un éléphant qui se balançait
Sur une toile, toile, toile, toile d'araignée,
Trouva ce jeu tellement,
Tellement amusant
Que tout à coup : Boum ! Badaboum !

Ces messieurs me disent :
Trempez-la dans l'huile,
Trempez-la dans l'eau,
Ça fera un escargot
Tout chaud !

Je la mets dans un tiroir,
Elle me dit : il fait trop noir,
Je la mets dans mon chapeau,
Elle me dit : il fait trop chaud,
Je la mets dans ma culotte,
Elle me fait trois petites crottes.

Un grand cerf dans sa cabane
Regardant par la lucarne
Un lapin venir vers lui
Lui criant ainsi :
«Cerf! Cerf! Ouvre-moi
ou le chasseur me tuera!»
«Lapin, lapin, entre et viens,
me serrer la main.»

Au clair de la lune,
Trois petits lapins,
Qui mangeaient des prunes,
Comm' trois p'tits coquins.
La pip' à la bouche,
Le verr' à la main,
En disant mesdames,
Versez-nous du vin,
Tout plein,
Jusqu'à demain matin!

Il était un petit homme,
Pirouette, cacahouète,
Il était un petit homme,
Qui avait une drôle de maison (x2).
Sa maison est en carton,
Pirouette, cacahouète,
Sa maison est en carton,
Les escaliers sont en papier (x2).
Le facteur y est monté,
Pirouette, cacahouète,
Le facteur y est monté,
Il s'est cassé le bout du nez (x2).
Un avion à réaction,
Pirouette, cacahouète,
Un avion à réaction,
A rattrapé le bout du nez (x2).
On lui a raccommodé,
Pirouette, cacahouète,
On lui a raccommodé,
Avec du joli fil doré (x2).

Dans ma bass'-cour il y a,
Des poul', des dindons, des oies,
Il y a même des canards,
Qui barbotent dans la mare!
Alors...
Cot, cot, cot codec! Cot, cot, cot codec!
Cot, cot, cot codec,
Rock and roll des gallinacés!

Savez-vous planter les choux,
À la mode, à la mode,
Savez-vous planter les choux,
À la mode de chez nous ?

On les plante avec le doigt,
À la mode, à la mode,
On les plante avec le doigt,
À la mode de chez nous.

On les plante avec le pied...

On les plante avec le genou...

On les plante avec le coude...

On les plante avec le nez...

On les plante avec la tête...

Fais dodo,
Colas, mon p'tit frère,
Fais dodo,
T'auras du lolo.

Maman est en haut
Qui fait du gâteau
Papa est en bas
Qui fait du chocolat.

Fais dodo,
Colas, mon p'tit frère,
Fais dodo,
T'auras du lolo.

Au clair de la lune, trois petits lapins

Un grand cerf

Fais dodo, Colas mon p'tit frère

Un éléphant

Pirouette, cacahouète

Rock and roll des gallinacés

Savez-vous planter les choux

Une souris verte

Sur le pont d'Avignon

Petit escargot

Merci à Edu

ISBN 978-2-211-20242-8

© 2010, l'école des loisirs, Paris, pour la présente édition
dans la collection «Titoumax»

© 2009, l'école des loisirs, Paris
Loi numéro 49 956 du 16 juillet 1949 sur les publications
destinées à la jeunesse : octobre 2009
Dépôt légal : novembre 2010
Imprimé en France par Pollina - L54991
www.ecoledesloisirs.fr